CO-CCE-949

Un chien rugissant

Lacombe, Gilles
    Un chien rugissant : poèmes

(Collection Fugues/Paroles)
ISBN 2-921463-69-5

    I. Titre. II. Collection.

PS8573.A27787C44 2002   C841'.54   C2002-900871-9
PQ3919.2.L33C44 2002

Les Éditions L'Interligne remercient le Conseil des
Arts du Canada, la Ville d'Ottawa, le ministère du
Patrimoine canadien par l'entremise du PADIÉ et
du PICLO et le Conseil des arts de l'Ontario de
l'aide apportée à leur programme de publication.

Conception de la couverture : Christian Quesnel
Mise en pages : Stefan Psenak

Distribution : Diffusion Prologue Inc.
Tél. sans frais: 1 800 363-2864

Gilles Lacombe

Un chien rugissant

avec dix illustrations de l'auteur

poésie

Collection « Fugues/Paroles »

L'INTERLIGNE

Qui a oublié
Dans l'air des choses
L'union des tambours ?

Qui a fait chanter
Le roulement des collines ?

Qui est celui qui a laissé son corps
Et son sang

Et quelque part
Parmi les contrefaçons du paysage

Trois jours et trois nuits
De ténèbres ?

I

La fortune de croire
Qu'on n'a rien oublié.
Bonne ou mauvaise.
Pour l'honneur des morts
Et la gravité
Du souvenir

C'est une vocation tardive
Une noirceur
Vraiment très douce

Faut pas en rire

Mieux vaudrait se tenir à l'attention
Saluer les officiers de passage
Regarder droit devant soi
Où les derniers survivants
Défilent tout en douceur
                    À mille mètres du sol

C'est à peine si on les voit

La hauteur des ténèbres
Les a pénétrés
Corps et âmes

Même les idées
Défilant d'une catégorie à l'autre
Se sont rendues au bout de leur sang

Des devinettes inutiles

La première est réapparue
Ruisselante d'algues coupantes

On ne l'a pas crue
Mais on a ri

On aurait dit
Le consentement universel

Et ça reprend de plus belle

Des appropriations illicites
Des prétextes irréprochables
Le désordre dans l'armoire aux jouets

Des contresens incorrigibles

Et le refus d'obtempérer

L'obstination verbale
Où les verbes font à leur tête

C'était de la grandeur de petite souris

À cela
Il n'y aura pas de conséquences

Juste un recueillement
Pour mieux saccager des désastres

Et deux souricières
Dans la gueule du chat

Faut savoir compter ses bienfaits :
Un jardin à trois versants
À la place du ciel

Le firmament comme un voleur

L'état de nature

Les os au lieu de la peau
Son reflet sur l'herbe

De la craie vénéneuse
Que l'on respire
À pleins poumons

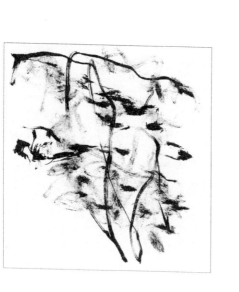

Autre chose encore

Celui-là me regarde avec un air
De procureur

Le mépris comme un état second

Je ne suis pas parano
Mais on a peur de se tromper
Mais pas dans ce cas

Même quand il s'agit de soi

Il ne cesse de faire autrement
Il le fait si bien
C'est un expert du faux-semblant

Mais quelque chose lui résiste

Une impossibilité
Toutes catégories confondues.
Innommable
Telle qu'on la conçoit.

Il n'a cessé de lui mener
une grande guerre

Il voudrait se brûler les yeux

Et l'intégral

Des points cardinaux
Même

Le cœur des choses
S'il le connaissait

Ça revient toujours à ça
Le point tournant de la pensée

Un défilé d'aveugles

Parfois il vise juste

La pointe de l'épée   nue
Entre les seins
Et juste à temps

Faut pas se méprendre

La joue contre le sol

Saveur terreuse
Terreur du ciel

Une année de trop
On s'y trompe chaque fois

On a l'âge de ses erreurs

Les pages se cassent et périclitent

Pas des fragments
Mais des filons
Un mot en vaut bien un autre

Des chicanes de prêtres
Querelles de juridiction
Messages tronqués
Dépradations
Simonie
Des idées qui font honneur
À l'intelligence

Même à quarante heures de la nuit
Le choix est simple :
La compassion parfaite
Ou être accusé d'attirer le malheur

Il ne pourra pas revenir   Impossible

Manque de revenus

Manque d'espace

Ça fait trois jours
Que le ciel tourne en rond

Elle est maigre
Chétive presque

Le ciel se déverse dans les airs
Avec des ailes de chauve-souris

Comme carapace

Un réseau de jambes
De bras de dos de cous

Une image de son apparence

Rien n'est plus faux que sa pénurie

Elle est le visage dont on se souvient
Sa victime
La plus ancienne
Séculaire dans ses souvenirs
Et la plus récente
Cette étrange candeur
Qui brille dans les yeux

L'innocence a toujours
Le cœur à l'ouvrage

C'était le rôle échu aux animaux
Dans les champs de fer et de gaz
Dans les couloirs souterrains
Et la vie dans les airs

Un champ de bataille
En vue panoramique

Peu de gens s'en plaignent

Ça facilite la tâche
Aux ménagères

Monsieur fait un dodo
Le bec bien niché dans son cou

L'horloge grand-père sonne huit coups
C'est l'heure du bonhomme sept heures

Heure avancée
Heure normale de l'est
On s'en fout

Dodo

Fais dodo

C'est l'heure du dernier assaut

Cela donne de la poésie simpliste :

Des haïkus pour oiseaux
Des comptines pour animaux
D'un âge mental de quatre ans
Ou moins

Avec de la cruauté dans les marges
Entre les mots

Des meurtres dans les mots

Et la mort besogneuse et toute simple

Qui néantise comme un insecte

Comme de la tendresse

C'est si facile de s'écarter
Quand on fait ce qu'on aime

       Un instant d'insouciance
Qui s'élargit
Qu'on ne sait pas comprendre
Quand on frappe à la porte
Il voudrait ouvrir
Mais on a oublié le code d'accès

Les numéros   la suite

Il demande de l'aide
Ça fait trois fois cette semaine

À son avis
Il était un assassin privé de victime

Ça lui donnait des airs
Quand il se levait la nuit
Pour écrire

Trois pianistes à son actif

Le secret qui fait la différence
De l'un à l'autre

Un clavier en rouge-feu
Dans le tiroir
Une arme à feu

Il porte des gants feutrés

De la soie

Il a des mains jouissives dit-il

Ça protège des empreintes digitales

Pas très utile quand il s'agit
De bâillonner des hemorragies

Cela donne
des peintures sanguinolentes

C'est la responsabilité
Du grand-prêtre
Le rouge-gorge du sanhédrin
Et maître des assassins

On n'en demande pas plus

Cela fait l'affaire des marchands
Qui offrent
Des liqueurs de son sang

Des brèches dans l'armature
Du firmament
À colmater

Voilà une belle expression

Et ça recommence

Des sparadraps sur le front
Et sous le cuir chevelu
Entre l'os et la nervure de feu

Une cicatrice entre les deux os crâniens
C'est le signe que l'on attendait
La longue traînée vaporeuse
De l'esprit
Qui ment

Juste de la négation
Sans sursignification
Sans concept
Du travesti
Du postiche

Une image de la vie
Privée d'elle-même
Qui fait reddition dans le paysage

C'est une définition comme les autres

Midi est à quatorze heures
Impossible de se tromper
Quand on fait confiance
Aux chiens qui hurlent la nuit

Une image en charpie
De rien d'autre qu'elle-même
Et du bruissement du vent
Dans les odeurs
De la nuit tombée

C'est une simplicité

II

Les nuages

Qui brandissent des barres de fer
Brûlantes

Des outardes qui volent bas

Une ferveur sortie du ciel

Il neige

Ce qu'il faut tenir   pour la réalité
Et qui fait sourire

Des taches de rose dans les feuilles

Des cassures de ciel
Un corps comme une chevelure
Sur le lit de fougères
Le sexe posé

Entre les parois de son cœur

La mousse est pleine de stupeurs

Les fils du soleil ne savent plus
Où s'arrêter

Novembre

Perte de contrôle

Rien que des rêves
De bonheur

Comme une embardée
Dans le chemin
Qui mène au lac interdit

Une odeur d'essence et de laine
De feuilles mouillées

Des fougères dorées

Un rire silencieux
Magnifiquement caduc

Interminable

III

J'ai retrouvé mon chemin
Quand je suis sorti du large

C'était la splendeur
La plus simple qui soit

Ensuite je suis allé au Groenland

Dans les fjords
La mer est chaude à regarder

C'est un territoire qu'on m'a légué
Dans l'arrière-pays
Là-bas
Sous les décombres
Des grandes plaines dorées

Des images virulentes
Qui font trembler les feuilles

Quand sont passés
les cortèges d'assassins

Quand je dors je le vois parfois

Le ciel porte encore les traces
De son passage

L'exultation dans le firmament
Ne s'est jamais dissipée

Le barrage assourdissant
Avant l'assaut final
Ne s'est pas encore assoupi

J'en ai fait ma patrie
Une parmi tant d'autres
Celle qui rejaillit
Quand on n'a pas survécu
À la vigilance extrême

Aussi quand on s'éveille parfois
La vie est pleine
de rebondissements

Les lisières du monde
ont fait collusion
Et tout est en désordre

Le lit n'est qu'un morceau du verger

Des couleurs de pommiers
Ont été jetées pêle-mêle
Dans un coin de la pièce

Des fusées de blancheur
traversent la chambre

Il y a des flamboyances
Un peu partout
Qui font rouler des tambours

Des turbulences ont fait la guerre

Trois fois
Avant de déguerpir
Dans les nuages

On a dormi rivé à la fenêtre

Il fallait voir tout de suite
Ce qui allait arriver

Il y eut trois jours de ténèbres

Trois nuits de clarté

Et tout ce temps

Une petite fille

Qui jouait

Avec un chien rugissant